Y0-BQP-002

Es un animal nocturno, por lo que está activo desde el crepúsculo hasta el amanecer.

Para protegerse de sus depredadores se hace el muerto. Se queda inmóvil, echa espuma por la boca y huele mal. Cuando pasa el peligro, vuelve a moverse y sale corriendo.

Cuando un árbol se cae, hace su madriguera en los huecos del tronco. También en alguna madriguera abandonada, o en agujeros entre las rocas.

Come casi de todo, desde granos y frutas hasta insectos y gallinas.

JEFFERSONVILLE TOWNSHIP PUBLIC LIBRARY
JEFFERSONVILLE, INDIANA

FEB - - 2018

Esta colección presenta diversos mitos sobre animales
en la cosmovisión de algunas culturas indígenas de México
y de Centroamérica, y que subsisten en algunos
casos desde la época prehispánica. El texto se apoya
en los trabajos de reconocidos antropólogos e historiadores,
con el fin de recuperar y conservar la riqueza de estas
múltiples y complejas visiones del mundo.

Nuestro agradecimiento a Alfredo López Austin,
cuya investigación sobre los mitos del tlacuache
hizo posible este libro.
Gracias también a Carmen y Arcadio, por su apoyo.

Tlacuache, "Ladrón del fuego"

Ana Paula Ojeda y Juan Palomino

EDICIONES
TECOLOTE

El fuego cayó del cielo,
en lo más alto de la montaña.

Y fue el Tlacuache
el que lo bajó al Mundo.

Era el tiempo del origen:
los hombres no eran hombres,
los animales no eran
todavía animales.

Nada tenía forma,
no era claro dónde empezaban
ni dónde terminaban las cosas.

Todo tenía sentimientos,
todo tenía voz: los árboles, el Sol,
la Luna, los ríos, la Tierra.

Todo con vida, todo entre tinieblas,
todo en la oscuridad.

Era el tiempo del origen,
y entonces el tiempo
no era todavía tiempo.

Para aclarar el mundo
y poder distinguir sus formas,
el tlacuache fue en busca del fuego.

Algunos cuentan que los hombres
se lo pidieron, otros dicen que
los que lo habían intentado antes,
habían fallado.

Lo cierto es que el tlacuache era muy
buen ladrón, y además era el rey
del mundo, el que sostenía el cielo.

Era el viejo sabio a quien todos
pedían consejo; él sabía cómo
debían fluir las cosas.

Cuando los animales le preguntaron qué
curso debían seguir los ríos, él respondió
que debían correr como el tiempo: sinuosos
y ondulados, nunca en línea recta.

Además, al abuelo tlacuache
le gustaba mucho la fiesta,
y con ella el mezcal, el pulque,
el tabaco y las tlacuachas.

Celebrar era un modo
de acercarse a los dioses.

El Tlacuache no era un dios,
pero sabía cómo acercarse a ellos.
Por eso podía encontrar el fuego.

Partió hacia la montaña.
Caminó y caminó, anduvo y caminó,
y en su camino lo vieron los pueblos
que ahora se llaman triques, huicholes,
mazahuas, coras, mazatecos,
mayas, tzotziles, mixes...

En la cima, la Señora Lumbre
cuidaba el fuego.
En la cima, la Señora Lumbre
cuidaba también el maíz.

Robó el maíz. Para robarlo,
el Tlacuache lo pintó con los colores
del día y de la noche.

Así confundió a la Señora Lumbre,
y así el tiempo comenzó a tener
medida: las noches seguirían
a los días y los días a las noches.

El Tlacuache, ordenador del tiempo,
puso un nombre a cada día, y aunque ahora
nuestros días tienen ya otros nombres,
el maíz sigue teniendo esos colores.

Robó el fuego. Para robarlo,
el Tlacuache le dijo a la Señora Lumbre:
"¿Puedo acurrucarme aquí junto a ti
para pasar la noche sin frío?"
Y aprovechando un momento
de distracción tomó una brasa
con su cola, que al quemarse quedó
pelona para siempre.

Escondió la brasa en donde
las tlacuachas guardan a sus hijos;
por eso, aunque la Señora Lumbre
lo vio partir, el astuto ladrón logró
llevarse un poquito de fuego.

Pronto, la Señora Lumbre
supo que le habían robado.

Furiosa, persiguió al Tlacuache,
y cuando lo alcanzó lo golpeó tanto
que lo dejó hecho pedazos.

Desde su muerte el Tlacuache
se puso a pensar, recogió sus pedazos
y se fue reconstruyendo
hasta estar otra vez vivo.

Por eso los tlacuaches pueden
parecer muertos aunque estén vivos,
porque el Tlacuache renació después
de haber sido destrozado.

Toda muerte trae consigo un nacimiento.

El Tlacuache entregó
el fuego a los hombres.
Y con el fuego les dio
el maíz, el mezcal, el tabaco
y el pulque, robados también
del mundo de los dioses.

No había otra forma de llevar
estas cosas divinas al mundo.
Fue preciso romper la regla
y borrar las distancias.

Cuatro hogueras se encendieron
en los cuatro rumbos del Mundo,
en las cuatro milpas donde el fuego
marca el principio de cada siembra.

Las llamas devoran lo pasado
y abren camino a la vida nueva.
Por eso los campesinos queman
sus campos después de cada cosecha.

Con el fuego
los hombres fueron hombres.
Y fue así como empezó la historia.

Primera edición: 2017

D.R. © Ana Paula Ojeda
D.R. © Juan Palomino

D.R. © 2017, Ediciones Tecolote, S.A. de C.V.
General Juan Cano 180,
Colonia San Miguel Chapultepec,
C.P. 11850, Ciudad de México
5272 8085 / 8139
tecolote@edicionestecolote.com
www.edicionestecolote.com

Coordinación Editorial: Ma. Cristina Urrutia
Diseño: Ediciones Tecolote
Corrección: José Manuel Mateo

ISBN 978-607-9365-78-3
Impreso en China

Tlacuache, "Ladrón del fuego"
se imprimió en agosto de 2017.

ÉSTE ES EL LADRÓN DEL FUEGO

Se dice que es un ladrón porque puede burlar
cerraduras con sus hábiles manos.
Entra a las bodegas a robar los granos,
y a los corrales para matar gallinas.

En la Mesoamérica
prehispánica se le relacionaba
con el sacrificio.

Se dice que bebe
el aguamiel de
los magueyes, por lo cual
se le considera un viejo
borracho.

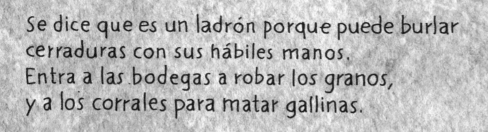

je OJE Espanol
Ojeda, Ana Paula, author.
Tlacuache, "Ladrón del
fuego"

JEFF TWP PUBLIC LIBRARY

3 1861 00649 3611

Su carne es comestible, pero en algunos lugares, por respeto
al Abuelo Tlacuache, no se caza ni se come.